HIRO MASHIMA

FAIRY TAIL
41
SOMMAIRE

FAIRY TAIL
CHAPITRE 345 :
UNE VOIX
SABER TOOTH
NOM : ROG CHENNY
ÂGE : 19 ANS
MAGIE : CHASSEUR DE DRAGONS DE L'OMBRE
CHOSE PRÉFÉRÉE : FROSH
CHOSE DÉTESTÉE : LE PLEIN JOUR
REMARQUE :
L'UN DES DRAGONS JUMEAUX DE SABER TOOTH. PETIT, IL ADMIRAIT GAJIL ET VOULAIT INTÉGRER LA GUILDE DE PHANTOM LORD. IL DÉTESTAIT SON NOM, ROG ("ROGUE" SIGNIFIANT "VAURIEN") ET SE FAISAIT APPELER LAÏOS. ON NE SAIT PAS OÙ IL A RENCONTRÉ FROSH, MAIS IL Y A SEPT ANS, QUAND IL ADMIRAIT GAJIL, ILS NE SE CONNAISSAIENT PAS ENCORE. IL A EU UN CHOC QUAND IL A APPRIS QUE L'ATTAQUE DES DRAGONS, LORS DU GRAND TOURNOI DE LA MAGIE, ÉTAIT UNE MACHINATION DE SON MOI FUTUR, MAIS DEPUIS, IL A FERMEMENT JURÉ DE NE PAS SOMBRER DANS LES TÉNÈBRES.

JE SUIS
REDEVENUE
UNE GAMINE...

TAP
TAP

POUF

!
FSAP

C'EST QUOÌ, CE DÉLÌRE ?!
EST-CE QUE J'AÌ UNE ARMURE À CETTE TAÌLLE ?
NON... C'EST PAS LE PLUS URGENT...
CLÌC
AAH !
ZUÌP
AAAAAAAAAH !
ROULE
ROULE
ROULE
ROULE
PLAF
MON CORPS NE RÉAGÌT PLUS COMME AVANT... ÌL Y A UNE DÌFFÉRENCE ENTRE L'ÌMAGE QUE J'EN AÌ ET MA CARRURE...

QU'EST-CE QU'IL S'EST PASSÉ, AU JUSTE ?
SI JAMAIS JE NE RETROUVE PAS MON APPARENCE...
C'EST COMME SI J'ÉTAIS TA GRANDE SŒUR !
JUSTE UN PEU...
ON SE FAIT UN COMBAT, ERZA ?
MAINTENANT, ON VA POUVOIR GAGNER !
DÉSOLÉ, MAIS J'AIME PAS CE GENRE DE PLAN...
OH...

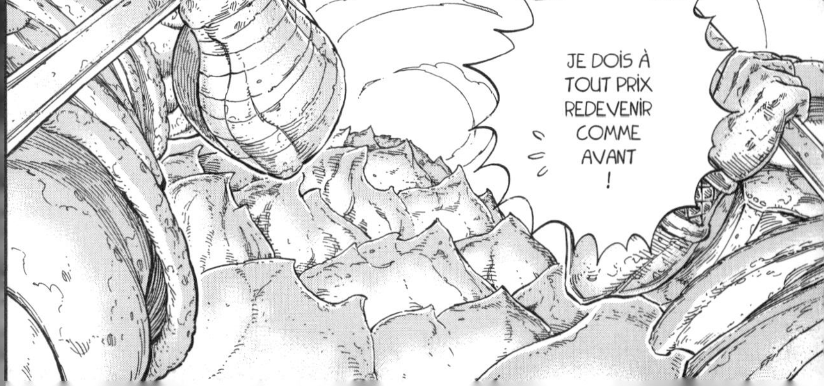
JE DOIS À TOUT PRIX REDEVENIR COMME AVANT !

VOUS ÊTES BALÈZES, MÊME SANS MAGIE...
HÉ ! FAUT SUPER PAS METTRE SYLPH LABYRINTH DANS LE MÊME SAC QUE LES AUTRES GUILDES DE CHASSEURS DE TRÉSORS !

ON A GAGNÉ LE SUPER GRAND TOURNOI DU TRÉSOR CACHÉ QUI DÉSIGNE LA MEILLEURE GUILDE DE CHASSEURS DE TRÉSORS DE FIORE !
DOOM !
GRAND TOURNOI DU TRÉSOR CACHÉ

IL Y A AUSSI UN ÉVÉNEMENT DE CE GENRE CHEZ LES CHASSEURS DE TRÉSORS ?
EUH... FÉLICITATIONS...
TROP FORTS !
SOIS PAS SI ADMIRATIF !

VOUS AVEZ PIGÉ ? ALORS, DÉGAGEZ ! LES MAGICIENS FONT PAS LE POIDS CONTRE NOUS !
MAIS ON N'EST PAS N'IMPORTE QUELS MAGICIENS...

TADAM !

QUOI ?!
LES GOUT-TES DE LUNE !

C'EST LE PICK-POCKET...
DE GLACE !
QUAND EST-CE QUE... ?
VOLEUR ! C'EST TROP DU VOL !

DRAKE ! TIRE !
SAGIT-TARIUS !

HEIN ?!
PAAAAM
MOI AUSSI, JE SUIS...
UN MAÎTRE DU TIR !
RENDS-LA-NOUS, VOLEUR !
TSAC
ON DOIT SAUVER LES GÉANTS !
DÉSOLÉ, MAIS ON GARDE LA BOUTEILLE !

TCHAC
TAP
NATSU !
FSHOU
DOOM !
J'AI !
TSAP
OUPS !
DOOM
LUCY !
OK !
TSAP
FSHOUUUUU

CHAIN BLADE ! FUSIL-MITRAILLEUR !
CLAC
RAAAAH !
TA TA TA TA TA TA TA TA
FSHOU
WENDY !
TSAP
JE L'AI !
RAAA-AAH !
TA TA TA

CARLA !
COM-PRIS !
TSAP
HÉ ! ATTEN-TION !
TA TA TA TA TA

HAPPY !
FSHOUU
OUAIP !

CUIIIING

BLOUP

ELLE S'EST CASSÉE !

QU'EST-CE QUE VOUS AVEZ FAIT ?! VOUS ÊTES SUPER MÉCHANTS !
CASSER QUELQUE CHOSE QU'ON A VOLÉ, C'EST... **DOOM ! DOOM ! DOOM** !

JE SUIS DÉSOLÉ...

REGARDEZ ÇA...
AH !

ÇA N'A FAIT FONDRE QU'UN TOUT PETIT PEU DE GLACE...

ON N'AURAIT JAMAIS PU LIBÉRER TOUT LE VILLAGE AVEC AUSSI PEU DE GOUTTES DE LUNE.

OH NON ! NOTRE PLAN ÉTAIT SUPER NUL !
ON PENSAIT POUVOIR DÉGELER LA FLAMME ÉTERNELLE D'UN SEUL COUP, **DOOM**, AVEC LES GOUTTES DE LUNE !

DOOM ! ON CHANGE DE PLAN !
ON VA LE SUPER MODIFIER !
ILS ONT ÉCHANGÉ LEURS TICS DE LANGAGE...

!

NATSU... SI TU ME FRAPPES, FAIS-LE SUR LES FESSES...

J'ENTENDS QUELQUE CHOSE...
FSAP
FSAP
FSHAA

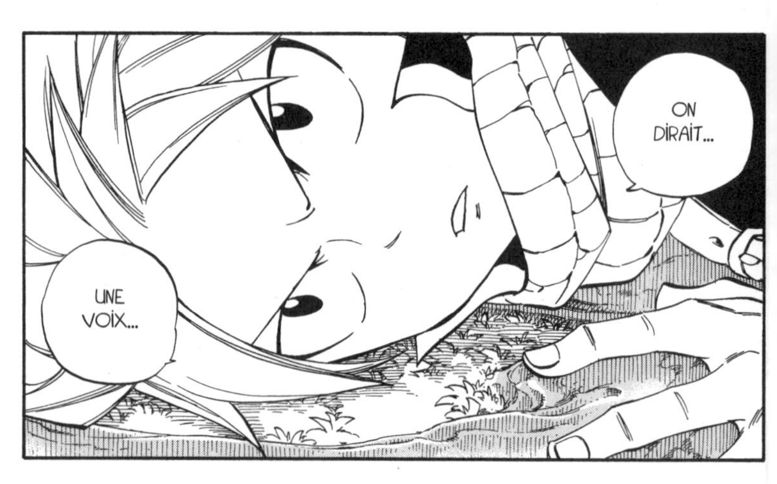

ON DIRAIT...
UNE VOIX...

HEIN ?
UNE VOIX ?

J'ENTENDS UNE VOIX DEPUIS L'ENDROIT OÙ IL N'Y A PLUS DE GLACE...
ON DIRAIT UN APPEL...

ÇA VIENT DE LÀ-BAS !
NATSU !
TAAAP
J'ENTENDS RIEN, MOI...
...
CETTE VOIX...
JE L'AI DÉJÀ ENTENDUE QUELQUE PART !
TAP
TAP
TAP
NATSU ! ATTENDS !
QU'EST-CE QUI SE PASSE ?
QU'EST-CE QU'IL A ENTENDU ?
POUR L'INSTANT, ON LE SUIT !

ATTENDEZ-MOI ! JE VIENS AUSSI !

TAP
TAP
TAP
TAP

PFOU HAN
PFOU
PFOU
HAN
HAN

ON PEUT PAS S'ARRÊTER LÀ ! IL FAUT LES SUIVRE !
VOUS AVEZ VU LES CLÉS DE LA BLONDE ? C'EST DES TRUCS SUPER RARES !
DES CHASSEURS DE TRÉSORS PEUVENT PAS RENTRER À LEUR GUILDE LES MAINS VIDES !

TAP TAP TAP TAP TAP TAP
TAP TAP TAP TAP TAP TAP
C'ÉTAIT LA VOIX DE QUI...
'TAIN !
J'ARRIVE PAS À M'EN SOUVENIR...
!

TAP
TAP

T'ES UN POTE DES VOLEURS ?
IL EN RESTAIT UN ?

JE SUIS PAS UN VOLEUR !

ALLEZ ! RETOURNE AU SOUVENIR DES JOURS LOINTAINS !
FSHOUUUU !!

!
WOM
MAIS... QU'EST-CE QUE... ?
WOM
WOM
OO-OH...

QU'EST-CE QU'IL M'ARRIVE ?
WOOOOOM
MAINTENANT QUE T'ES UN GAMIN, CE SERA PLUS SIMPLE D'EN FINIR.
CRAC

FAIRY TAIL

CHAPITRE 346 : LA LOI DE LA DÉGÉNÉRESCENCE

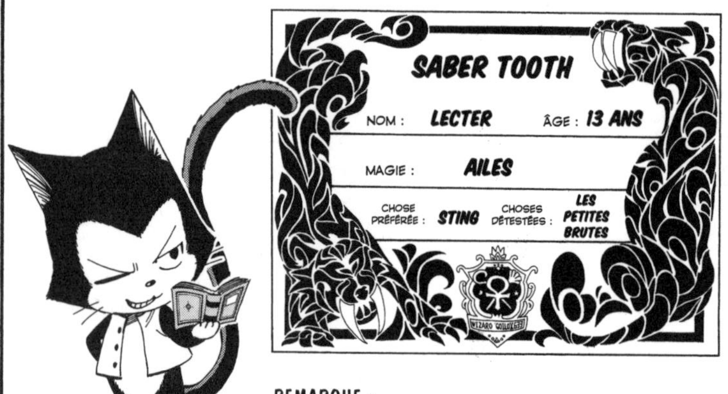

REMARQUE :

ON PENSE QUE C'EST L'UN DES EXCEEDS VENUS D'EDOLAS. PETIT, IL A RENCONTRÉ STING QU'IL ADMIRE POUR SA FORCE AU POINT DE LE CONSIDÉRER COMME UN DIEU. PENDANT LE GRAND TOURNOI DE LA MAGIE, MAÎTRE JIENMA A BIEN FAILLI LE FAIRE DISPARAÎTRE, MAIS LA MAGIE DIMENSIONNELLE DE MINERVA LUI A SAUVÉ LA VIE. IL A PU S'EN ÉCHAPPER GRÂCE À MILIANA, QUI ÉTAIT, ELLE AUSSI, PRISONNIÈRE DE MINERVA.

GNNNN

GNNNN

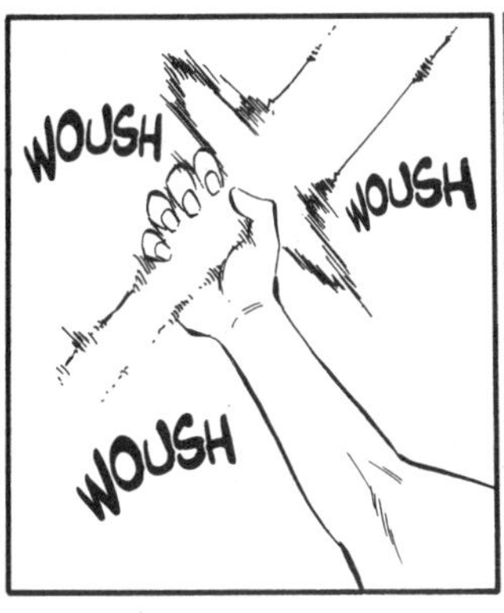
WOUSH
WOUSH
WOUSH

WOUAH !
WOOOOOOM

JE PEUX UTILISER LA MAGIE...
MAIS...

JE CHANGE D'ÉQUIPEMENT PLUS LENTEMENT... ET MA MAGIE S'ÉPUISE PLUS VITE...
MES CAPACITÉS PHYSIQUES ONT SENSIBLEMENT DIMINUÉ...
ET J'AI FROID AUX PIEDS...
TU N'AS PLUS RIEN DE "TITANIA"...
!

MINERVA !

QU'EST-CE QUE TU FAIS ICI ?
J'AI CHANGÉ DE GUILDE. C'EST MA PREMIÈRE MISSION.

JE NE PENSAIS PAS TOMBER SUR TOI...
CE SCEAU...
C'EST CELUI DE SUCCUBUS EYE !
TU ES DANS UNE GUILDE CLANDESTINE ?!

SEULE LA GUILDE LA PLUS PUISSANTE EST DIGNE DE MOI.
PEU IMPORTE QU'ELLE SOIT CLANDESTINE OU NON. J'ADORE VOIR LES CHOSES DE HAUT !

TU PRÉTENDS QUE SUCCUBUS EYE EST LA PLUS FORTE ?
CETTE GUILDE N'EST QU'UNE ÉTAPE...
JE VAIS ALLER PLUS HAUT QUE ÇA !
TU AS PERDU TA FIERTÉ DE MAGICIENNE, OU QUOI, MINERVA ?

LA DISCUSSION S'ARRÊTE ICI ! REPRENONS LE COMBAT !
MAIS TU NE PEUX RIEN FAIRE DANS CET ÉTAT...
C'EST TOI QUI M'AS FAIT ÇA ?

NON, C'EST LE SORT DE MON CAMARADE.
IL Y A PLEIN DE MAGIES INTÉRESSANTES DANS LE MONDE CLANDESTIN.

TU NE COMBATS PLUS DE FAÇON ÉQUITABLE ?

LES CLANDESTINS ONT LEUR PROPRE FAÇON DE SE BATTRE, JE SUIS PLUS LARGE D'ESPRIT, MAINTENANT...

IL FAUT T'Y FAIRE, CE N'EST PLUS LE GRAND TOURNOI !
C'EST UN COMBAT À MORT !

QU'EST-CE QU'IL M'ARRIVE ?!
JE SUIS REDEVENU UN GAMIN !
T'ES UN VOLEUR, TU NE DEVRAIS PAS POUVOIR UTILISER LA MAGIE !
TSAC TSAC
PUISQUE JE TE DIS QUE JE NE SUIS PAS UN VOLEUR...
BREF...
JE VAIS ME DÉBARRASSER DE TOI !
TAP

WOUAH !
FSHAAAAAAAA
'TAIN ! JE PEUX PAS BOUGER COMME JE VEUX !

HURLE-MENTS...
DU DRA-GON !
POUF
...
PSHIII
QU'EST-CE QUE ÇA VEUT DIRE ? MÊME QUAND J'ÉTAIS PETIT, MA MAGIE ÉTAIT PLUS PUISSANTE QUE ÇA !
BAOOOOM
L'APPARENCE N'EST QU'UN EFFET SECON-DAIRE...
LA LOI DE LA DÉGÉNÉRESCENCE EST UN SORT QUI DIMINUE LES CAPACI-TÉS HUMAINES...
T'ES UN SALE TRICHEUR !
GNN
!
POUF

PLAM
PLAM
ROULE
ROULE
ROULE
AAAAH !
PLAAAAF
PLAF
PSHOUUUUUU
AÏE !
AÏEUH ! ÇA FAIT MAL !
T'AS UN DE CES DIRECTS, TOI !
C'EST TOI QUI ENCAISSES MOINS BIEN...

C'EST PAS VRAI, BON SANG !

!

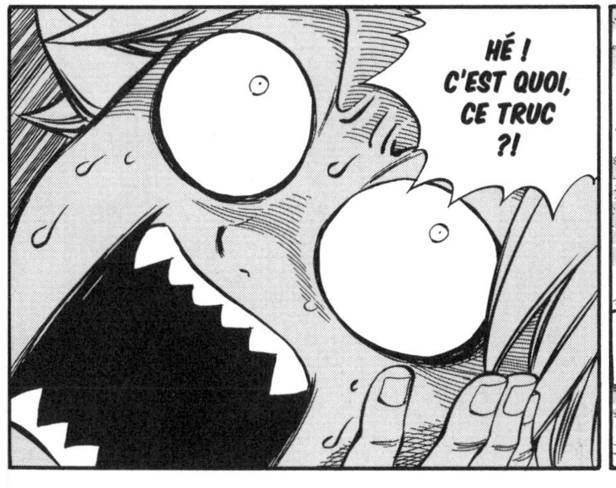
HÉ ! C'EST QUOI, CE TRUC ?!

!

QU'EST-CE QUE... ?

LA VACHE ! IL S'EST ÉCHAPPÉ !

DÉSOLÉ ! MAIS JE DOIS RETROUVER UNE VOIX !
HA HA HA HA ! LES GAMINS ONT LEURS PROPRES TECHNIQUES DE COMBAT !
ÇA ME RAPPELLE DES SOUVENIRS ! J'AI FAIT LE COUP PLEIN DE FOIS À GILDARTS !
TAP TAP TAP

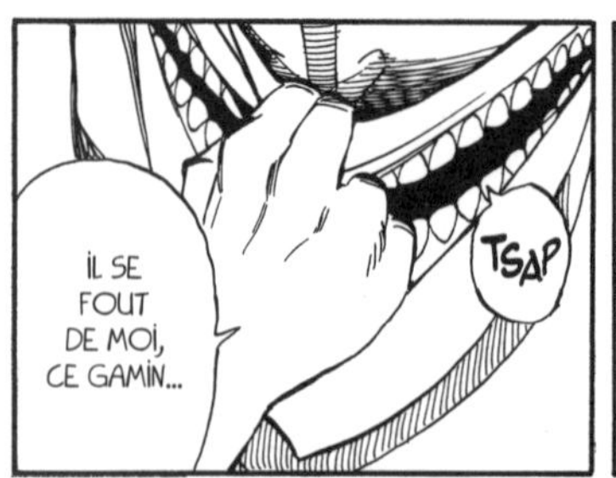
TSAP
IL SE FOUT DE MOI, CE GAMIN...

JE VAIS LUI APPRENDRE LA PEUR DES POUVOIRS DES NON-HUMAINS !

AAAH !
PLAM

ÇA VA, WENDY ?
JE SUIS DÉSOLÉE, MAIS AVEC CE SOL GELÉ...

VOUS, CONTINUEZ À LES CHERCHER AU SOL !
AVEC CARLA, ON VA LES CHERCHER D'EN HAUT !

QU'EST-CE QU'ON VA FAIRE ? J'AI L'IMPRESSION QU'ON EST COMPLÈTEMENT PERDUES...
ET EN PLUS, ON A AUSSI PERDU GREY...

LUCY, IL Y A QUELQUE CHOSE QUI ME CHIFFONNE...
?

MAIS HAPPY ET CARLA NE SONT TOUJOURS PAS REVENUS...

C'EST FRANCHEMENT BIZARRE...
MATE

ENFIN, COMMENT DIRE...

MIAOU
MAIS JE CROIS QU'ON EST SUIVIES...
MAIS NON, ON EST DES SUPER CHATS !
JE SUIS UN CHAT BLANC, MIADOOM !
AAAAAAH !!
ELLES ONT GRILLÉ NOS DÉGUISEMENTS DE CHASSEURS DE TRÉSORS ?!
J'AURAIS DÛ ME METTRE EN CHAT BLEU, JE LE SAVAIS !
ILS PENSAIENT VRAIMENT NOUS AVOIR AVEC ÇA ?
J'AI DU MAL À LES COMPRENDRE, CES CHASSEURS DE TRÉSORS...

MAINTENANT QU'ON EST DÉCOUVERTS, ON N'A SUPER PAS LE CHOIX !
ON CHANGE DE PLAN ! TOI ! DONNE-NOUS TES CLÉS SUPER RARES !
DONNE-LES-NOUS, **DOOM** !

QU'EST-CE QU'ILS ONT, CES MECS ?!
TAP
ON EST DÉSOLÉES POUR LA BOUTEILLE...
ON NE VOULAIT PAS SE BATTRE, ON VOULAIT JUSTE AIDER LES GÉANTS...

LES GÉANTS ?
ON S'EN FOUT D'EUX !

POUR UN CHASSEUR DE TRÉSORS, IL N'Y A QU'UNE CHOSE QUI COMPTE, ET C'EST...

EST-CE QUE C'EST UN TRÉSOR OU PAS ?!
TCHAC

!

ARRÊTE ! ILS SONT TOUJOURS EN VIE !
SI C'EST PAS UN TRÉSOR, JE M'EN FOUS QUE CE SOIT VIVANT OU PAS !
TCHAC
ARRÊTEZ...

SÛREMENT PAS ! JE FAIS CE QUE JE VEUX ET JE PRENDS CE QUE JE VEUX !
TCHAC
TCHAC
C'EST ÇA, ÊTRE CHASSEUR DE TRÉSORS !

ARRÊ-TEEEEEEZ !
FSHA AAAAAA

OOOH !
OUAH !

JE NE VEUX PAS ME BATTRE, MAIS CE QUE VOUS FAITES EST HORRIBLE ! JE NE PEUX PAS VOUS LAISSER FAIRE !
SI VOUS COMPTEZ VOUS EN PRENDRE AUX VILLAGEOIS, VOUS AUREZ AFFAIRE À NOUS !

GÉNIAL... ON VA RÉCUPÉRER DES TRÉSORS ET DES FEMMES !
ON N'A PAS BESOIN DES FEMMES ! FAUT LES TUER, **DOOM** !

PAM
AAAH !
AH !
PAM
PAM
AH !

ON EST TROIS ET VOUS ÊTES QUE DEUX FILLES !
QU'EST-CE QUE VOUS ALLEZ FAIRE ?

AH !
ZULP
PLAF
TING
WENDY !
JE L'AI !
FOUTCH

PSHOUUU
CRITCH

FREA !
QU'EST-CE QUE TU FAIS LÀ ?

NOUS SOMMES TROIS FILLES !
UNE ROUSSE, UNE BLEUE ET UNE BLONDE ! ♡
HN HN HN !

FAIRY TAIL

CHAPITRE 347 : ROUSSE, BLEUE, BLONDE, LE GRAND COMBAT

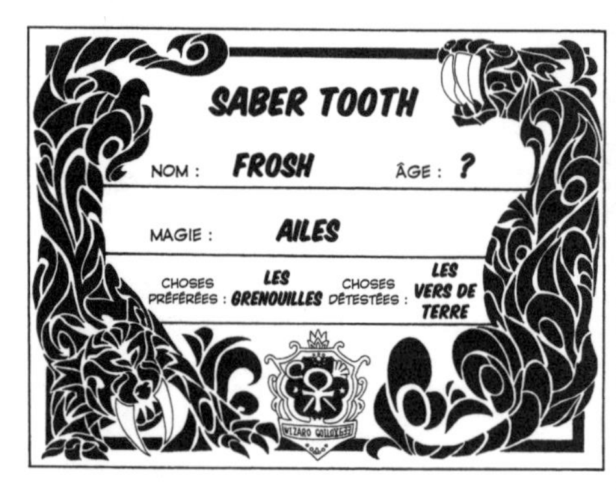

REMARQUE :

DANS SON JEUNE ÂGE, FROSH PENSAIT ÊTRE UNE GRENOUILLE ET A PLEURÉ PENDANT TROIS JOURS QUAND IL S'EST AVÉRÉ QUE CE N'ÉTAIT PAS LE CAS. APRÈS CELA, FROSH S'EST PROCURÉ UN COSTUME DE GRENOUILLE, QUI EST SA TENUE QUOTIDIENNE ADORÉE. DEPUIS SA RENCONTRE AVEC ROG, ILS NE SE QUITTENT JAMAIS. LECTER EST ÉGALEMENT SON GRAND AMI. FROSH A UN CÔTÉ TÊTE EN L'AIR, MAIS PEUT BATTRE LECTER À PLATE COUTURE À LA COURSE. PERSONNE NE LUI A PARLÉ DE LA PRÉDICTION DE SON MEURTRE, UN AN PLUS TARD...

C'EST QUI, CELLE-LÀ ?
UNE DE LEURS COPINES ?

HIN HIN HIN !

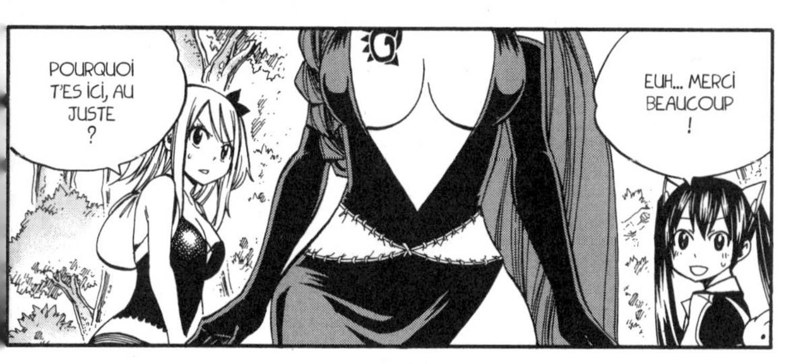
EUH... MERCI BEAUCOUP !
POURQUOI T'ES ICI, AU JUSTE ?

JE T'AI SUIVIE, LA BLONDE...
HEIN ?!
EN FAIT, JE TE SUIS TOUT LE TEMPS...
HEIIIIN ?!

?!
C'EST PAS VRAI...

JE N'AVAIS NULLE PART OÙ ALLER...
ALORS, JE SUIS REVENUE CHEZ MOI.

TU ES REVENUE... CHEZ TOI ?!

OUI... C'EST MON VILLAGE NATAL ICI...

CE SCEAU...
C'EST CELUI DU VILLAGE DU SOLEIL.

TU VIENS DE CE VILLAGE, FREA ?!
SÉRIEUX ?!

CE SONT LES GÉANTS QUI M'ONT ÉLEVÉE...

EN ARRIVANT ICI, J'AI VU QUE MON VILLAGE ET MA FAMILLE ÉTAIENT...
JE NE LE PARDONNERAI PAS !

C'EST PAS NOUS QUI LES AVONS GELÉS !
ON EST LÀ POUR PRENDRE LA FLAMME ÉTERNELLE, DOOM !
ÇA AUSSI, C'EST PAS POSSIBLE !
...
LA FLAMME ÉTERNELLE EST IMPORTANTE POUR LE VILLAGE ! C'EST NOTRE DIEU PROTECTEUR !

PERSONNE NE DOIT LA SOUILLER !
FSHAAAA
TSOING
SES CHEVEUX S'ALLONGENT !
JE M'EN OCCUPE !
TAP

TCHAC
TCHAC
TCHAC
TCHAC
OUVRE-TOI ! PORTE DU GRAND CRABE !
!
CANCER !
POUR LES PROBLÈMES DE CHEVEUX, COMPTEZ SUR MOI !
HOMARD !
TADAM

SOIN DE RENAIS-SANCE CAPILLAIRE !
FROUTCH FROUTCH FROUTCH FROUTCH
AAAAAH ! C'EST BON !
LA BLONDE...

ON VA SAUVER LES GÉANTS !
ON VA SE BATTRE AVEC TOI !

JE RENAIS !
PLAAAAF
OUARGH !
DOOM !
SERRES ...

DU DRAGON CÉLESTE !
SAGITTARIUS ! SURVEILLE LE TIREUR !
COMPTEZ SUR MOI !
PLAM

J'AI UNE IDÉE ! ♡ VIRGO !
VOUS M'AVEZ APPELÉE, PRINCESSE ?
POUF
CREUSE UN TUNNEL POUR PRENDRE LE TIREUR À REVERS !
C'EST UN BON PLAN !
J'Y VAIS !
FSHOU

!
...
PLAF

POURQUOI ?!
PRINCESSE... JE NE PEUX PAS CREUSER...
CETTE GLACE... C'EST UNE MAGIE SPÉCIALE, JE NE PEUX PAS LA TRAVERSER...
PUNISSEZ-MOI...

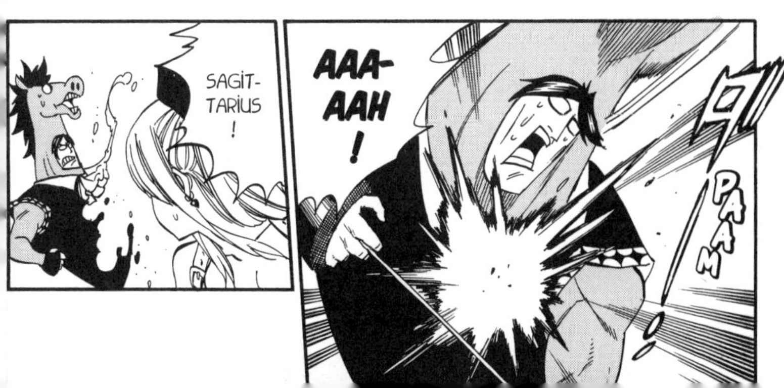
SAGIT-TARIUS !
AAA-AAH !
PAAM

J'AI ÉTÉ VAINCU AU TIR...
CLAC
IL FAUT PAS SOUS-ESTIMER LES ARMES MODERNES...
RIEN N'EST PLUS RAPIDE QU'UN FUSIL !
RAH !
CROC DE LOUP CAPILLAIRE !
ROAAAAAR

LES CHEVEUX PEUVENT RIEN CONTRE UNE ÉPÉE !
FSHOUUUUU
LA FLAMME ÉTERNELLE ME LES A DONNÉS ! ILS FONT MA FIERTÉ !
TSHHH
TSHHH
TSHHH

FLAMMES DE LUCIOLES CAPILLAIRES !
BOM
BOM
BOM
BOM
BOM

WOUA-AAAAH !
PLAAAAAAF
HIROSHI !
YAAAAH !
PLAAAAAM
DOOOM !
SALE GAMINE !
FSHOUUU
AAAAAH !
TSAC

CRIIIC
CRIIIC
OURGH...
GNNN...
CRIIIC
CRIIIC
ON NE SE LIBÈRE PAS DE MON STRONGER COMME ÇA !

PAAAAM
AAAAH !
WENDY !

TSS !
!
TSAC
HEIN ?
HÉ HÉ HÉ !

MES CHEVEUX !
C'EST UNE TECHNIQUE DE CHASSEUR DE TRÉSORS !
LE NŒUD SOLIDE !
TSAC
BWAHA HA HA HA HA HA !
JE VAIS PAS LA RATER !
CLAC
DOOM !
GRRR...
...
MMH !
MMH !

C'EST PAS DES MAGICIENS DE RIEN DU TOUT QUI VONT NOUS AVOIR ! VOUS ÊTES SUPER PAS À LA HAUTEUR !
VOUS ÊTES DES NANAS, VOUS DEVRIEZ VOUS CONTENTER DE TORTILLER DES FESSES DEVANT LES MECS !

D'AILLEURS, FAITES-LE UN PEU POUR VOIR !
HA HA HA ! BONNE IDÉE ! FAITES-LE !
VOUS ÊTES DÉBILES OU QUOI ?
MOI, JE VEUX BIEN TORTILLER DES FESSES...
FSAP
FSAP
PFOU...
HIN HIN...

C'EST PLUTÔT VOUS QUI ÊTES LOIN D'AVOIR LE NIVEAU !

ARMS !
TSHRAAAAA
HEIN ?!
MÊME ATTACHÉS, MES CHEVEUX PEUVENT POUSSER !
QUOI ?!
FOUTCH
FOUTCH
SALETÉ !

TROUVÉ !
JUSTE À TEMPS !
LUCY !
FSHAAAA
AAAAH !

BWOOOOOOOOOM
AILES DU DRAGON CÉLESTE !
TECHNIQUE DU PAON CAPILLAIRE !

FSHAAAAAAAAA
PLAAAAF
LUCY KICK !
ET VIRGO KICK !

AAAAAA!
ON A RÉUSSI !
OUI...

FAIRY TAIL
CHAPITRE 348 :
LE RETOUR DU DÉMON
SABER TOOTH
NOM : YUKINO AGRIA ÂGE : 18 ANS
MAGIE : CONSTELLATIONNISTE
CHOSE PRÉFÉRÉE : SA GRANDE SŒUR SORANO
CHOSE DÉTESTÉE : MAÎTRE JIENMA
REMARQUE :
PENDANT LE GRAND TOURNOI DE LA MAGIE, ELLE A MOMENTANÉMENT ÉTÉ RENVOYÉE DE SABER TOOTH MAIS ELLE EST REVENUE DANS LA GUILDE PAR LA SUITE. TOUT COMME LUCY, C'EST UNE CONSTELLATIONNISTE, D'AILLEURS, ELLE POSSÈDE LES DEUX CLÉS D'OR QUI MANQUENT À CETTE DERNIÈRE. SA DÉFAITE FACE À KAGURA A FAIT FORTE IMPRESSION, MAIS EN RÉALITÉ, ELLE EST TRÈS PUISSANTE. ELLE RÊVE DE RETROUVER SORANO, SA SŒUR AÎNÉE, PERDUE DE VUE.

QUAND J'ÉTAIS PETITE... J'HABITAIS ICI...
MAIS JE N'AIMAIS PAS ÊTRE LA SEULE À ÊTRE DIFFÉRENTE DES AUTRES...

ALORS JE SUIS PARTIE...
AVANT ÇA, JE N'AVAIS JAMAIS VU D'ÊTRE HUMAIN DE MA TAILLE...

ÇA M'A FAIT PEUR...
DU COUP, JE SUIS DEVENUE COMME ÇA...

ALORS, TU AS REJOINT RAVEN...

JE NE SAVAIS PAS COMMENT GAGNER DE L'ARGENT...
JE NE SAVAIS RIEN DU TOUT, EN FAIT, QUAND JE SUIS ENTRÉE CHEZ RAVEN TAIL...
LES MEMBRES DE LA GUILDE DÉTESTAIENT FAIRY TAIL...
MAIS JE PENSAIS QUE C'ÉTAIT NORMAL...

C'EST BON, ON PEUT ÊTRE AMIES, MAINTENANT !

OUI... PARDON...
C'EST BON... C'EST OUBLIÉ !

TU ES REVENUE DANS TON VILLAGE POUR LE RETROUVER DANS CET ÉTAT...

Oui...
SNIF
NE PLEURE PAS ! ILS SONT TOUJOURS VIVANTS !
Oui...

LA FLAMME ÉTERNELLE POURRA PEUT-ÊTRE FAIRE FONDRE CETTE GLACE...

VENEZ, JE VAIS VOUS MONTRER OÙ ELLE EST !

CARLA... C'EST QUOI, ÇA ?
J'EN SAIS RIEN...

CLAC CLAC
CLAC CLAC

GNIIIII !
MAIS C'EST EMBÊTANT... ON NE PEUT PAS S'ENVOLER TANT QUE C'EST LÀ...
OUAIP...

CETTE
VOIX...
TAP TAP TAP TAP
QUI ÇA
PEUT
ÊTRE
?
TAP
TAP
TAP
TAP
ET PUIS...
QUAND EST-CE
QUE JE VAIS
REDEVENIR
COMME AVANT
?!
AH
!
BAOM

TSAP
TSAP
AAAH
!
BOOM
BOOOM

HA HA
HA HA !
OUAIS
!
ON
DIRAIT UNE
GAMINE,
ERZA
!
OUTCH
!
PLAM
FSHAAAAAAA

HA HA HA !
MAIS, EN FAIT, T'ES VRAIMENT... UNE GAMINE !
HAN !
HAN !
HAN !

JE VAIS TE MARTYRISER ENCORE ET ENCORE !
PLAM !!
POUR OUBLIER MON HUMILIATION DU GRAND TOURNOI !
ARGH !

JE NE PEUX RIEN FAIRE SOUS CETTE FORME...
EST-CE QUE LE SORT S'ANNULERA SI JE BATS CELUI QUI L'A LANCÉ ?

HÉ ! TOI !
!

T'ES AVEC LES VOLEURS ?

VOUS ME SOÛLEZ...
À APPARAÎTRE LES UNS APRÈS LES AUTRES...
HEIN ?!
QU'EST-CE...
QUE T'AS À LA BOUCHE ?
HIN HIN !

C'EST UNE BOUCHE POUR MIEUX TE MANGER !

?!
FSHAAAAA
HEIN ?
QU'EST-CE QUI M'ARRIVE ?
FSHA
FSHA
FSHA
YAAAAAH !
TAP
TAP
TAP
TAP
TAP

JE SUIS...
UN GAMIN ?

PAPOM
PAPOM
PAPOM

AAAAAAAAAAAAH !
GLOUPS
!

AAAAAAAH !
...
あああああ
AAAAAAAAAH

ÇA ARRIVE PARFOIS...
QU'EN REDEVENANT UN GAMIN ON RETROUVE DES SOUVENIRS DE CETTE ÉPOQUE.
C'EST PAS DE POT...

MAIS JE M'EN FOUS TOTALE-MENT !

UN... UN DÉMON !
DE-LIO-RA !
AU... AU SECOURS !

TSAC
Hii !
Hii !
TU M'ÉCHAPPERAS PAS...
OMPF !

MAIS JE VAIS T'APPRENDRE UN TRUC AVANT DE TE TUER.
IL Y A UN ENDROIT À ÉVITER À TOUT PRIX DANS CE MONDE...

C'EST L'AUTRE CÔTÉ DES PORTES DE L'ENFER !
ET LÀ, T'ES SUR LEUR SEUIL !

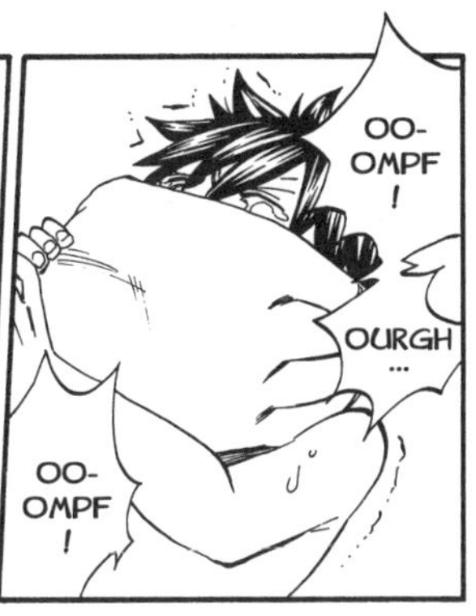
OO-OMPF !
OURGH ...
OO-OMPF !

HA HA HA HA ! T'ES UN GAMIN ! QU'EST-CE QUE JE TE RACONTE ?!

MMMMMMH !

GREY...

DELIORA N'EST PLUS LÀ...

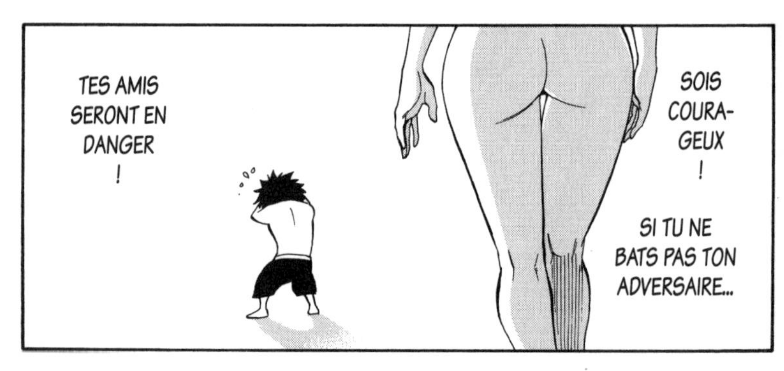

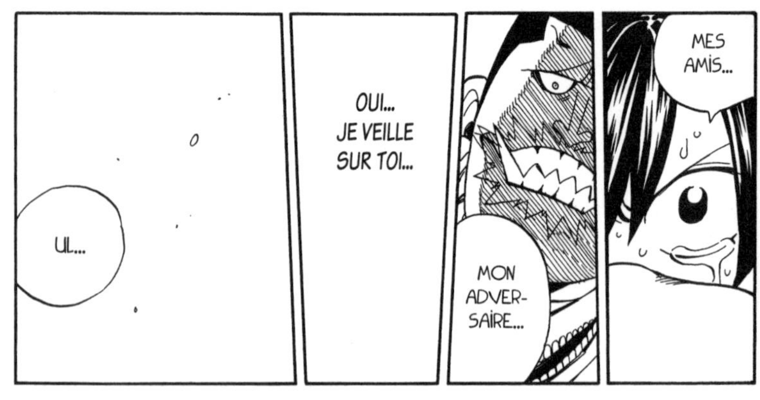

TIA !
CLIIIING
AAAH !
C'EST GELÉ !
FSAP

LA GLACE...
LE DÉMON...
UN GAMIN...
LES GOUTTES DE LUNE...
IL Y A TROP DE CHOSES QUI ME RAMÈNENT AU PASSÉ...

C'EST NUL... PERDRE LES PÉDALES JUSTE POUR ÇA...
MAIS ÇA VA, MAINTENANT.

C'EST TOI QUI AS FAIT ÇA À CE VILLAGE ?
HEIN ?
ET SI JE TE RÉPONDS OUI...
TU FAIS QUOI ?

C'EST DÉGUEULASSE D'UTILISER UNE MAGIE DE LA GLACE PAREILLE...
JE VAIS T'APPRENDRE CE QU'EST LA VRAIE MAGIE DE LA GLACE !
WOOOOOOOOOO

CHAPITRE 349 :
LE DÉMON DRIERTE

REMARQUE :

SURNOMMÉ LE TROUBADOUR DE LA LUNE ROUGE, IL UTILISE LA MAGIE CONSTRUCTRICE DES SOUVENIRS. CETTE MAGIE PERMET DE SE SOUVENIR D'UN SORT DÈS QU'ON L'APERÇOIT ET DE L'UTILISER POUR CRÉER D'AUTRES SORTS. ELLE PERMET AUSSI D'INTERVENIR SUR LES SOUVENIRS DES AUTRES, MAIS RUFUS N'A PAS UTILISÉ CET ASPECT DE SES POUVOIRS AU COURS DU GRAND TOURNOI DE LA MAGIE. APRÈS LE TOURNOI, IL S'EST SOUVENU QUE SON LOOK ÉTAIT TRÈS SIMILAIRE À CELUI DE FRIED DE FAIRY TAIL, ET EST EN TRAIN DE SE DEMANDER S'IL NE FERAIT PAS MIEUX DE CHANGER DE STYLE.

QU'EST-CE QUE TU RACONTES ?
T'AS BIEN CONSCIENCE DE TA SITUA-TION ?

LA LOI DE LA DÉGÉNÉRESCENCE N'EST PAS UN SORT DE JOUVENCE !
...
ÇA RÉDUIT TOUTES TES CAPACITÉS... LA FORCE, LA VITESSE, LA RÉSISTANCE ET LA MAGIE...

EN CLAIR, T'ES COMME UN LAPIN AVANT LA CHASSE...
TU VAS SAGE-MENT...

CRITCH
!
C'EST...
CRITCH
JE T'AI FAIT RECULER, TOUT À L'HEURE...
ET J'AI CONSTRUIT CETTE PLATE-FORME...
ET LÀ, J'EN AI PLUS BESOIN !
AAAH !
CLIIIING

OUAH !
PLAAAAM
QUAND EST-CE QUE... ?!

ÇA PEUT PAS RÉDUIRE TOUTES MES CAPACITÉS !

LÀ...
LE POSTE DE COMMANDEMENT EST PLUS LUCIDE QUE JAMAIS !

LA NATURE DE LA MAGIE DE GLACE CONSTRUCTIVE, C'EST LA TRANSFORMATION DE L'IMAGINATION EN ARME.
GRÂCE À TOI, JE SUIS REVENU AUX ORIGINES, MERCI !
TSAP
!
TAP TAP
N'IMPORTE QUOI !
TU CROIS POUVOIR TRANSFORMER TON IMAGINATION AVEC LA MAGIE QUE T'AS EN CE MOMENT ?
TAP
TAP
TAP

OÙ TU TE CACHES ?!
JE T'AI ENCORE PIÉGÉ !
!
T'ES SUR UN SOL QUE J'AI FABRIQUÉ !

HEIN ?
WOUSH
AÏE !
TCHAC
TSAC
TSAC
TSAC

SALE...
TAP
MAR-TEAU...
WOOOOO

DE GLACE !
TZING
ÇA SERT À RIEN !
PAF
IL EST TOUT PETIT !

TANT PIS...
PAF
IL EST TROP PETIT, JE VAIS EN FAIRE AUTRE CHOSE...
CLIING
T'AURAS BEAU UTILISER TA TÊTE, T'AS PAS ASSEZ DE MAGIE POUR ME FAIRE MAL...
GLACE PILÉE !
FOUTCH FOUTCH FOUTCH FOUTCH FOUTCH FOUTCH
C'EST FROID !

HA HA HA HA !

...
ELLE A PAS L'AIR TERRIBLE, CETTE GLACE PILÉE !

EN FAIT, UN MAGICIEN DE GLACE NE SERAIT PAS REFROIDI POUR SI PEU !
TU T'ES TRAHI !
C'EST PAS TOI QUI AS GELÉ LE VILLAGE !
T'AS PAS LE POUVOIR NÉCESSAIRE !

C'EST POUR ÇA QUE SI TU N'AFFAIBLIS PAS TON ADVERSAIRE, TU NE PEUX PAS LE BATTRE !
EN FAIT, T'ES JUSTE UN MINABLE.

BRRR
BRRR
BRRR
BRRR

JE POURRAIS TE TUER MAINTENANT, MAIS AVANT, JE VEUX T'ENTENDRE UNE DERNIÈRE FOIS !

T'ES UNE COMBATTANTE REDOUTABLE ET JE VEUX T'ENTENDRE PLEURER DE DÉPIT.

VAS-Y, IMPLORE MON PAR-DON !
IMPLORE MA PITIÉ !
ET PEUT-ÊTRE QUE JE CHANGERAI D'AVIS !

NE PERDS PAS TON HONNEUR DE MAGICIENNE !
TON POUVOIR EST FAIT POUR LES AUTRES, POUR CEUX QUE TU AIMES !
IL N'EST PAS TROP TARD, QUITTE LES TÉNÈBRES...
MINERVA !

TU OSES ENCORE ME FAIRE LA MORALE ?!
RO HÔSETO
(TU M'ÉNERVES !)

ÛDIN SES I RAAGD
(TU VAS MOURIR !)
ESHAAAAA
!
PWOF
TSSS
TSSS
PLOP

MON CORPS ...
WOUAH !
PLAF
PAM
EST RE-DEVENU COMME AVANT !

PLAAAAAF
OUA-
AAH
!

DRIERTE...
A ÉTÉ VAINCU ?!

TANT PIS !
C'EST MIEUX QUE TU SOIS COMME ÇA, ERZA...

ELLE PEUT BIEN PRENDRE L'ARMURE DU DIEU DES DESTINÉES...
C'EST MOI QUI VAINCRAI !

TU PEUX PAS RESTER DANS CETTE TENUE !
!

!
TOI NON PLUS !
HEIN ?!
QUAND EST-CE QUE... ?
TSAP

¡ RALGAS !
(SALETÉ !)
JE PENSAIS PAS À MAL...
JE L'AI AGRIPPÉE SANS M'EN RENDRE COMPTE...
PLAF
AÏE !
QUOI ENCORE ?!
JE SUIS REDEVENU COMME AVANT, D'UN SEUL COUP !

!

JE SUIS REDEVENU COMME AVANT...

!
HAAAAN...
HAAAAN...

RAAAAAAAAAAH !
!
FSHA
AAAAAA
QU'EST-CE QU'IL A, LUI ?
FSHOU
IL A PÉTÉ UN CÂBLE ET A LEVÉ SON SORT, C'EST ÇA ?
T'ES NUL COMME MEC !
PLAAAAM
OUCH !

AAH !
PLAAAAAM
PAPOM
UN DÉMON ?!
C'EST COMME MIRAJANE ET SON SATAN SOUL ?
NON, C'EST PAS ÇA...
BON SANG... CE SERAIT...

UN DÉMON
DU LIVRE DE
ZELEPH...

FAIRY TAIL
CHAPITRE 350 :
GREY VS DRIERTE
SABER TOOTH
NOM : ORGA NANAGIA ÂGE : 23 ANS
MAGIE : CHASSEUR DE DIEUX DE LA FOUDRE
CHOSE PRÉFÉRÉE : LA CHANSON CHOSES DÉTESTÉES : LES INCENDIES
REMARQUE :
SON POUVOIR DE CHASSEUR DE DIEUX DE LA FOUDRE EST LE PLUS PUISSANT DE SABER TOOTH. ON DIT QUE CETTE MAGIE PEUT TUER UN DIEU. C'EST UNE MAGIE ANTIQUE REDOUTÉE DEPUIS LA NUIT DES TEMPS. ORGA GARDE UN BON SOUVENIR DU GRAND TOURNOI DE LA MAGIE, MÊME SI JERA L'A VAINCU D'UN SEUL COUP. IL SE CONSACRE ENTIÈREMENT À SON ENTRAÎNEMENT POUR POUVOIR AFFRONTER À NOUVEAU LUXUS ET JERA LE PLUS TÔT POSSIBLE.IL AIME BEAUCOUP LECTER ET FROSH ET LES REGARDE SOUVENT, COMME S'IL AVAIT ENVIE DE JOUER AVEC EUX.

WOOOOOOOOOOOOOH

UN DÉMON DU LIVRE DE ZELEPH...
UN HUMAIN PEUT... NON... C'EST PAS POSSIBLE !

C'EST QUOI, CE MEC ?!

OUAH !
PLAAAAAF
!
AH !
AH !
FSHRAAAAAA
OUARGH !

TAP
IL EST VACHEMENT FORT...
FSAP
IL FAUT VITE QUE JE LE...

TSIIIIIIIIIIIING

JE SUIS REDEVENU UN GAMIN !
QUE... ?
QU'EST-CE QUI SE PASSE ?!

OURGH...

OH... DRIERTE NE S'EST PAS FAIT AVOIR, EN FAIT...
EUH... TU...

QUOI ?!
MOI AUSSI ?!
ちまっ
TADAM
IL EST DEVENU FOU !

HÉ ! QU'EST-CE QUE ÇA VEUT DIRE ?
ON EST DEVENUES PETITES...
QUI A LANCÉ UN SORT PAREIL ?

TU ES MIGNONNE, LA BLONDE...
TOI AUSSI !
CE N'EST PAS LE MOMENT POUR ÇA !
AÏE...
ÇA FAIT SUPER MAL...
DOOM !

AAAAAAAH !
AAAAAH !
HAPPY ?! CARLA ?!
PLAF

J'ARRIVAIS PLUS À VOLER, D'UN SEUL COUP !
MAIS... T'ES TOUT PETIT !
ET TOI AUSSI, GREY !
IL A ENSORCELÉ TOUT LE VILLAGE ?!

HEIN ?
C'EST QUOI, ÇA ?!
AAA-AAA-AAA-AAAH !
SI JE NE L'ARRÊTE PAS...
TOUT LE MONDE SERA EN DANGER !
PLAF
CLING
CLING
CLING
CLING
CLING
ÇA MARCHE PAS !

EN LUI GELANT LES PIEDS, JE POURRAI L'ARRÊTER !
TLING
CLING
NON ?!
AAAAH !
PLAAAAAM
FSHAAAAAAAA
GREY !

C'EST QUOI... CE DÉLIRE ?!
EN UN SEUL COUP, IL M'A...
LA LOI DE LA DÉGÉNÉRESCENCE N'EST PAS UN SORT DE JOUVENCE !
ÇA RÉDUIT TOUTES TES CAPACITÉS... LA FORCE, LA VITESSE, LA RÉSISTANCE ET LA MAGIE...

ET EN PLUS, SES POUVOIRS À LUI SONT RENFORCÉS !
ÇA CRAINT ! SI JE ME PRENDS LE PROCHAIN COUP...

!
JE PEUX PAS L'ÉVITER !
QU'EST-CE QUE JE PEUX FAIRE ?!

RÉFLÉ-
CHIS
!
T'ES DANS
UN MONDE
COMPLÈTE-
MENT GELÉ...
TU DOIS
POUVOIR
TROUVER
UN MOYEN
DE CONTRE-
ATTAQUER...

LA
GLACE
!
TCHAC
AÏE
!
TSAC
TSAC
TSAC
TLIING
ÇA SERT
À RIEN
!

QU'EST-
CE QUE ÇA
VEUT DIRE
?!
J'AI UN
MAUVAIS
PRESSEN-
TIMENT
!

GREY
!
FSHOUUUU

MERCI, HAPPY ! MERCI, CARLA !
DANS CET ÉTAT, ON NE PEUT PAS VOLER TRÈS HAUT !

ST OP
!
C'EST ÇA !
C'EST DONC ÇA !

MA GLACE EST INEFFICACE AVEC CE CORPS D'ENFANT, MAIS...
LE BUISSON GELÉ PAR CETTE GLACE SPÉCIALE LUI A FAIT MAL...

NORMALEMENT, SON POIDS AURAIT DÛ RÉDUIRE L'HERBE GELÉE EN MIETTES...

MAIS AVEC CETTE GLACE SPÉCIALE, IL S'EST BLESSÉ DESSUS...

JE NE SAIS PAS POURQUOI, MAIS LA GLACE QUI RECOUVRE LE VILLAGE EST SON POINT FAIBLE.

LA PREUVE, IL A BEAU AVOIR PERDU LA TÊTE, IL FAIT TOUJOURS ATTENTION À NE PAS LA TOUCHER...

DONC SI J'UTILISE LA MAGIE DE CETTE GLACE CONTRE LUI...

PAM
PLAAAAM
C'EST PAS COMME SI...
JE MAÎ-TRISAIS CETTE GLACE...
COMMENT JE PEUX FAIRE ?
MAIS SI !
JE PEUX LE FAIRE !

J'AI PAS BESOIN DE LA FAIRE FONDRE POUR ÇA !
CETTE MAGIE SI-NISTRE...
M'A RAPPELÉ DELIORA...
C'EST CE QUI M'A FAIT PEUR...

ET DU COUP, JE N'AI PAS OSÉ L'UTILISER !

PLAF
TRAVERSE MON CORPS...
POUR L'ATTEIN-DRE !

AAAAAAA...
AA...
AAA...
AH!

TSHRIIIIII

TSHR
TSHR
TSHR
TSHR
TSHR

PLAF

ÇA VA, GREY ?
OUAIS...
QU'EST-CE QUE TU AS FAIT ?
FSHOUUU
BON SANG ! C'EST QUOI, CETTE GLACE ?
JE LA TROUVE TOUJOURS SINISTRE... MAIS...

VOUS NE POUVEZ PAS REVENIR EN ARRIÈRE !
ET PUIS...
VOUS AVEZ OUVERT...
LES PORTES DE L'ENFER...
HIN HIN HIN !
LUI AUSSI, JE ME DEMANDE CE QU'IL EST VRAIMENT...
!

CRONTCH
!

!
LE VOILÀ-ÀÀÀÀ !

FAIRY TAIL
CHAPITRE 351 :
LA FLAMME ÉTERNELLE
LAMIA SCALE
NOM : LEON BASTIA
ÂGE : 26 ANS
MAGIE : MAGIE DE GLACE CONSTRUCTIVE
CHOSES PRÉFÉRÉES : OUI
CHOSES DÉTESTÉES : GREY
REMARQUE :
EN SEPT ANS, IL EST DEVENU FORT AU POINT D'ÊTRE AUSSI CONNU QUE JERA DE LAMIA SCALE. AU RETOUR DU GROUPE DE TENRÔ, LEON A EU LE COUP DE FOUDRE POUR JUBIA, MAIS À LA FIN DU GRAND TOURNOI DE LA MAGIE, IL A PRIS CONSCIENCE DE SES SENTIMENTS À ELLE ET IL S'EST RETIRÉ. DANS SON ENTOURAGE, BEAUCOUP SE SONT ÉTONNÉS DE DÉCOUVRIR QU'IL PUISSE ÊTRE AUSSI ENTREPRENANT AUPRÈS DES FEMMES.

UN COUP JE SUIS GRAND, UN COUP JE SUIS PETIT...
TAP
TAP
FAUT VRAIMENT QU'ON SE DÉBARRASSE DE CE MEC !
NATSU !
!

C'EST GÉNIAL QU'ON SE RETROUVE !
LE MEC AUX CHEVEUX ROSES...
TU PEUX PAS TE BARRER EN COURANT, COMME ÇA !

TOI !
Hiii !
ÇA VA, ELLE N'EST PAS CONTRE NOUS...
FREA VIENT DE CE VILLAGE.

T'ES UNE GÉANTE, TOI AUSSI ?
MAIS NON !
C'EST UNE HUMAINE ÉLEVÉE PAR DES GÉANTS !
...
QUOI ?!

ÇA DOIT TE FAIRE MAL DE VOIR TON VILLAGE COMME ÇA...
MAIS AU NOM DE LA GUILDE, JE TE PROMETS QU'ON VA LE REMETTRE EN ÉTAT !

PEUT-ÊTRE QUE LA FLAMME ÉTERNELLE POUR-RAIT SAUVER LE VILLAGE...
FREA NOUS SERVIRA DE GUIDE.

JE VOIS... AU FAIT, JE CROIS BIEN QUE LA VOIX QUE J'ENTENDS VIENT DE CETTE MONTAGNE...

CE N'EST PAS UNE MONTAGNE...
HEIN ?

C'EST LA FLAMME ÉTERNELLE, LA DIVINITÉ PROTECTRICE DU VILLAGE...

C'EST ÇA, LA FLAMME ÉTERNELLE ?!
HEIN ?!
QUOI ?!
TADAM

LA FLAMME EST PRISE DANS LA GLACE...

C'EST PAS UNE MONTAGNE ?!
ÇA Y RES-SEMBLE, MAIS C'EST UNE FLAMME GÉAN-TE GELÉE...

FOUTEZ LE CAMP !
!

J'ESPÉRAIS QUE LA FLAMME ÉTERNELLE POURRAIT LIBÉRER LE VILLAGE...
MAIS ELLE EST ELLE-MÊME GELÉE...

TAP TAP TAP TAP TAP
GREY ?!
HAPPY ! CARLA !

DOM
DOM
DOM
DOM
DOM
AAAA-AAAH !
C'EST QUOI, CE TRUC ?!
J'EN SAIS RIEN, MAIS IL VEUT NOUS MANGER !
C'EST UN ENNEMI ! UN ENNEMI !

ÉCLATE-LE, GREY !
JE VEUX PAS UTILISER LA MAGIE POUR RIEN !
HEIN ?!
JE PEUX PEUT-ÊTRE FAIRE FONDRE CETTE GLACE !
C'EST VRAI ?
UNE RAVEN ? QU'EST-CE QU'ELLE FOUT LÀ ?
ON S'EN TAPE ! COMMENT ON SE DÉBARRASSE DE LA GLACE ?

J'EN SUIS PAS SÛR...
MAIS IL FAUT ESSAYER !
OK ! DANS CE CAS, JE M'OCCUPE DU PIAF !

LA MONTAGNE, C'EST LA FLAMME ÉTERNELLE ! LIBÈRE-LA !
QUOI ?!
TU PEUX LE FAIRE ?
OUAIS !
JE COMPTE SUR TOI...
NATSU !
GREY !
PLAAAF

RAAAAAAH!

PLAAAAM

FOUTCH FOUTCH FOUTCH
FLAP
FSHAAAAA

TSAP
!
HIII
TCHAC
NATSU
!
AAAAAAH
DÉGELEZ
LA FLAMME
ÉTERNELLE
!
ÇA VA
!

ELLE POURRA SÛREMENT LIBÉRER LE VILLAGE !
PLAA
AAF

COMPTE SUR MOI !

CETTE GLACE RESTE UN MYSTÈRE POUR MOI...
JE NE PEUX NI LA MANIPULER NI LA FAIRE FONDRE...
MAIS JE PEUX LUI SERVIR DE CONDUCTEUR...
PEUT-ÊTRE PARCE QU'ON EST DU MÊME ÉLÉMENT, JE SAIS PAS...
TAP
TAP
TAP
TAP

LA MAGIE DE LA GLACE VA TE TRAVERSER ?
ET QU'EST-CE QUE TU VAS FAIRE ENSUITE ?
UTILISER LA CONSTRUCTION DE GLACE !
JE VAIS LA TRANSFORMER À MA FAÇON !
PLAF

INCROYABLE ! TU POURRAIS...

JE SAIS PAS SI JE PEUX LE FAIRE VRAIMENT ! JE M'OCCUPERAI DES GÉANTS PLUS TARD !
WUIIIIIIIII
JE VAIS DÉJÀ COMMENCER PAR LA MONT... LA FLAMME ÉTERNELLE !

WUIIIIIIIII
ÉLOIGNEZ-VOUS TOUS !
AAAH !
AA...
AA...
AA...
WOOOOOO
AAAAAAAH !
WOOOOOO
ÇA MARCHE !
LA GLACE DISPARAÎT !
GÉNIAL !
WOOOOOOOO
ELLE S'ÉVAPORE !

OOOOM

オオオ
BWOOOO

MAIS...
QU'EST-CE QUE ÇA VEUT DIRE ?
LA FLAMME...
N'EST PAS LÀ...
C'EST PAS POSSIBLE !

NON...
POF

!
FSHOU

C'EST QUOI, CETTE IMPRESSION ?
BRR
CETTE MAGIE...
BRR

FAIRY TAIL
CHAPITRE 352 :
LA VOIX DE LA FLAMME
LAMIA SCALE
NOM : JERA NEKIS ÂGE : 34 ANS
MAGIE : TOUTES LES MAGIES LIÉES À LA TERRE
CHOSE PRÉFÉRÉE : LA GUILDE CHOSES DÉTESTÉES : LES PETITS POIS
WIZARD GUILD
REMARQUE :
IL FAIT PARTIE DES MEILLEURS MAGICIENS DU CONTINENT QU'ON SURNOMME LES DIX MAGES SACRÉS. PENDANT LES SEPT DERNIÈRES ANNÉES, IL EST MONTÉ DE LA DERNIÈRE À LA CINQUIÈME PLACE. AU COURS DU GRAND TOURNOI DE LA MAGIE, IL A ÉTÉ VAINCU PAR LE JEUNE LUXUS, MAIS IL LE PREND PLUTÔT BIEN. DES VOIX S'ÉLÈVENT AU CONSEIL DE LA MAGIE POUR QUE LUXUS INTÈGRE LES DIX MAGES SACRÉS MAIS DES RÉSERVES ONT ÉTÉ ÉMISES POINTANT SA MAUVAISE CONDUITE.

Y A PAS LA FLAMME...
ELLE A DISPARU...
C'EST PAS POS-SIBLE...

NON...
NON...

ELLE A DISPARU QUAND ELLE A GELÉ ?
NON... C'EST PEUT-ÊTRE MOI QUI AI ÉCHOUÉ...
DU COUP, JE NE PEUX PAS DÉCONGELER LES GÉANTS...

C'EST PAS POSSIBLE ! ELLE BRÛLAIT DEPUIS DES CENTAINES D'ANNÉES...
LE VIL-LAGE... EST CONDAMNÉ ?

ELLE N'A PAS DISPARU !
!

IL Y A UNE CONSCIENCE RÉSIDUELLE !
C'EST LA PREUVE QU'ELLE EST ENCORE EN VIE !
QU'EST-CE QUI EST EN VIE ?
HÉ ! REGARDEZ !

C'EST QUOI ?
C'EST L'AUTEL DE LA FLAMME...
REGARDEZ BIEN !

IL RESTE UNE PETITE FLAMME...
MAIS ELLE EST TRÈS FAIBLE...
AVEC SON FEU...
NATSU PEUT SÛREMENT LA RANIMER !
MAIS OUI !
LE ROSE ?
FLAP

NATSUUUU !

OUAIS !
FAITES-MOI CONFIANCE !
!
WUIIIIM

PLAF
TSAP

WAAAAA...
AAA...
AA...
KSHAAAAAAA
AA-AAH !

WUIIIIIM
AAA-
AAH
!
FSHOU
NATSU
!
WOOOOSH

BOM
BOM
BOM
BOM
BOM
BOM
BOM
BOM
BOM
BOM
BOM
BOM
AH !
AA-AAH !
ÇA VA TOUCHER LES GÉANTS !

RAAAAAH
!
FSHROUUUUU
BAOM
ZWIP
BOM
BOM
BOM
BOM
BOM

JE T'EMPRUNTE TA TÊTE, VIEUX !
TAP
ROULE ROULE ROULE ROULE
FSHRA
OOOM
BAO
OOOM

GÉ-
HENNE
...
WOOOOOOOO
DU
DRA-
GON
!
BAOOOOOM

L'AUTEL !
RA...
AA...
AA...
AA...
AAH !

WAA-AAH !
BAOOOOOM
BROOOOOOM

C'EST PAS FINI !
BOM
BOM
BOM
BOM
BOM
BOM
YAAAAH
BOM
BOM
BOM
BOM
BOM
BOM
BOM

BWOOOOOM
ÇA DOIT ÊTRE NATSU...
BWOOOM
QU'EST-CE QUE... ?
BWOOOOM
AA-AAH !
AA...
AAA...
T'EN FAIS TROP, NATSU !
WOUUUU
HSUUUU
PAR LA TECHNIQUE SECRÈTE DU CHASSEUR DE DRAGONS...

DE LA FOURNAISE DU LOTUS POURPRE !
BAOOOOOOM

LA FLAMME...
NOTRE PROTEC-TRICE...

FLAMBE !

LA VOIX QUE J'AI ENTENDUE...
LA CONSCIENCE RÉSIDUELLE QUE J'AI PERÇUE...

JE VOIS...
HEIN ?
LA FLAMME ÉTERNELLE, C'EST...
C'ÉTAIT TOI ?!

ÇA FAIT QUATRE CENTS ANS...
BRO
OOOOOOM
FILS D'IGNIR !
ATLAS FLAME, DRAGON DE FEU

CHAPITRE 353 : EXORCISER LE DÉMON

REMARQUE :

COUSINE DE CHERRY (C'EST LA FILLE DE LA PETITE SŒUR DE LA MÈRE DE CHERRY). DEPUIS QU'ELLE EST TOUTE PETITE, SON POUVOIR EST SUPÉRIEUR À CELUI DE CHERRY. ELLE A TERMINÉ L'ÉCOLE DE MAGIE AVEC UN AN D'AVANCE. ELLE A APPRIS LA MAGIE DES CHASSEURS DE DIEUX TOUTE SEULE, DANS UN LIVRE OFFERT PAR GRAN DOMA, LE PRÉSIDENT DU CONSEIL DE LA MAGIE, POUR LA RÉCOMPENSER DE SES BONS RÉSULTATS. GRAN DOMA EST TRÈS EMBARRASSÉ, IL ÉTAIT LOIN D'IMAGINER QU'ELLE POURRAIT MAÎTRISER CETTE TECHNIQUE. ELLE AIME BEAUCOUP WENDY QUI EST DEVENUE SON AMIE AU COURS DU GRAND TOURNOI DE LA MAGIE. DEPUIS, ON LES A SOUVENT VUES S'AMUSER TOUTES LES DEUX (AVEC CARLA).

WOOOOOOOM
C'EST...
UN DES DRAGONS SORTIS PAR LA PORTE D'ÉCLIPSE.
HEIN ?
IL AURAIT DÛ REPARTIR À SON ÉPOQUE, IL Y A QUATRE CENTS ANS...

T'ES TOUJOURS VIVANT, TONTON !
ÇA FAISAIT UN BAIL !

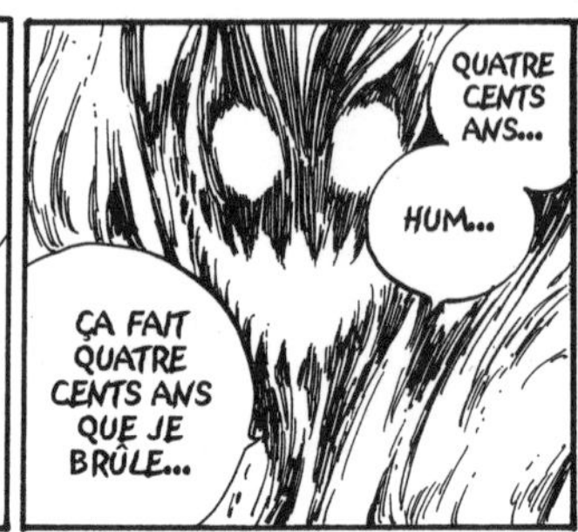
QUATRE CENTS ANS...
HUM...
ÇA FAIT QUATRE CENTS ANS QUE JE BRÛLE...

VIVANT ?
NON, C'EST PAS ÇA...

C'EST L'APPARENCE QUE J'AI DONNÉE À SON ÂME GRÂCE AU SORT DE LA VOIE LACTÉE...
ALORS...

ÇA VEUT DIRE QUE JE SUIS MORT ?
?
ÇA FERAIT DÉJÀ LONG-TEMPS...

ON DIRAIT QU'IL N'EN A PAS CONSCIENCE...
JE N'EN AI SURTOUT AUCUN SOU-VENIR...
C'EST TRÈS PERTUR-BANT...
WOOOOOO

HUM... ICI, C'EST...
JE SUIS...
FAIS UN EFFORT, TONTON !
JE ME SOUVIENS DE TOI, FILS D'IGNIR.
QU'EST-CE QUI SE PASSE ? JILKONIS SE SOUVENAIT DE TOUT, LUI !
C'EST PEUT-ÊTRE À CAUSE DE LA GLACE...

À LA BASE, LA CONSCIENCE RÉSIDUELLE VIENT D'UNE VOLONTÉ TRÈS FORTE, MAIS A UN POUVOIR MAGIQUE TRÈS FAIBLE...
EN LA GELANT LONGTEMPS, LE SORT DE GLACE A ENDOMMAGÉ SA MÉMOIRE.

LA GLACE...
OUI...
C'EST ÇA !

LE MONDE A ÉTÉ RECOUVERT DE GLACE !
TU PARLES DE CE VILLAGE, TONTON ?

QUEL TYPE ?
HUM... CE TYPE M'A FAIT QUELQUE CHOSE...
PAR ERREUR... HUM...
QU'EST-CE QU'IL S'EST PASSÉ ?
DITES-LE-NOUS !

C'EST ÇA ! CET HUMAIN, À LUI SEUL...
A TRANSFORMÉ LE MONDE EN GLACE !

C'EST UN MAGICIEN DES GLACES QUI A FAIT ÇA ?!
C'EST LA MAGIE D'UN SEUL MAGICIEN QUI A PU FAIRE ÇA ?
MAIS... POURQUOI ?!

CE TYPE... IL PENSAIT QUE J'ÉTAIS UN DÉMON...
WOOOOOOOOO
IL A GELÉ LE VILLAGE POUR ME DÉTRUIRE !

C'ÉTAIT UN MAGICIEN EXORCISTE !
UN CHASSEUR DE DÉMONS !

UN CHASSEUR DE DÉMONS ?!
PAS UN CHASSEUR DE DRAGONS NI UN CHASSEUR DE DIEUX... UN CHASSEUR DE DÉMONS...
IL UTILISERAIT UNE MAGIE QUI LES DÉTRUIT ?
C'EST LA PREMIÈRE FOIS QUE J'EN ENTENDS PARLER...
JE VOIS...
C'EST POUR ÇA QUE LA GLACE AVAIT CET EFFET SUR L'AUTRE TYPE !
TSHRIIIIII

UN CHASSEUR DE DÉMONS LIÉ À LA GLACE...
QU'EST-CE QUE C'EST QUE CE TYPE ?!
HUM...
JE N'ARRIVE PAS À ME SOUVENIR...
JE SUIS QUOI, AU JUSTE ?

VOUS ÊTES LE DIEU PROTECTEUR DE CE VILLAGE !
UNE FLAMME GÉANTE !
HEIN ?
FSHAP
JE VOUS EN SUPPLIE !
RAMENEZ LA LUMIÈRE DANS CE VILLAGE !
SAUVEZ-LE, JE VOUS EN PRIE !
FREA...
...
S'IL VOUS PLAÎT...
DIEU PROTEC-TEUR...

JE SUIS...
C'EST ÇA !
JE SUIS ATLAS FLAME !
LE FONDATEUR DE CE VILLAGE !
GÉNIAL ! TU TE SOUVIENS !

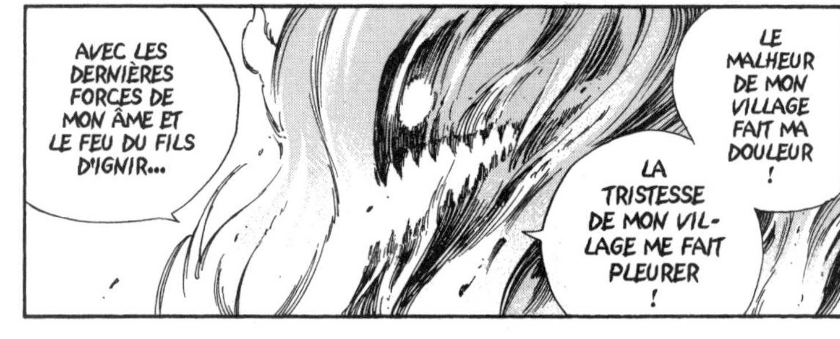
LE MALHEUR DE MON VILLAGE FAIT MA DOULEUR !
LA TRISTESSE DE MON VIL-LAGE ME FAIT PLEURER !
AVEC LES DERNIÈRES FORCES DE MON ÂME ET LE FEU DU FILS D'IGNIR...

JE VAIS LIBÉRER CE VILLAGE !

MON NOM EST ATLAS FLAME, DRAGON DE FEU !
JE SUIS LE PROTECTEUR DE CE VILLAGE !
BROOOOOOOOM

OOH !
WOUAH !
IL FAIT CHAUD ! GREY, REFROIDIS-MOI !
PFOU
QUELLES FLAMMES !
SON ÂME DISPARAÎT...
HEIN ?
IGNIR...
LA FÊTE DU ROI DRAGON...
ACNOLOGIA...
ZELEPH...
ÇA Y EST, JE ME SOUVIENS !
?!
LE PIRE DÉMON DU LIVRE MAUDIT DE ZELEPH !
E.N.D. !
IL Y A QUATRE CENTS ANS... IGNIR N'A PAS PU LE VAINCRE...
?

FSHAAAAAA

?

OOH ?
C'EST LA CHALEUR DE LA FLAMME...
QU'EST-CE QUE C'EST ?

!

LA GLACE FOND...
İLS ONT RÉUSSİ !

TSS...

HEİN ?
C'EST RARE, ÇA...
!
DES HUMAİNS DANS LE VİLLAGE !

WOOOOOOOOOM

ON EN RESTE LÀ !
TAP
MINERVA !
ON FINIRA CE COMBAT UN AUTRE JOUR !
SUR LA MEILLEURE DES SCÈNES !

NE TE LAISSE PAS GAGNER PAR LES TÉNÈBRES, TU ES PLUS FORTE QUE ÇA !

JE NE SUIS PAS GAGNÉE PAR LES TÉNÈBRES, JE PLONGE LE MONDE DANS LES TÉNÈBRES !

REGARDEZ ! LE VILLAGE...
OH...
IL RE-DEVIENT COMME AVANT...
OUI...
TONTON...

AH...

CE QU'IL FAIT BON...

C'EST INCROYABLE QU'UNE PART SI FAIBLE DE SON ÂME PUISSE AVOIR UN TEL POUVOIR...

L'ÂME D'ATLAS FLAME A TOTALEMENT DISPARU...

LE DÉMON E.N.D., QU'IGNIR A AFFRONTÉ...
J'EN AVAIS JAMAIS ENTENDU PARLER...
OUAIP...

FSHOUUUUUUUU

SEIGNEUR SILVER...
VOUS ÊTES CONVOQUÉ AU SIÈGE !
FSHOUUU

TU POURRAIS ME LAISSER ME RECUEILLIR TRANQUILLEMENT !

TOUS LES MEMBRES DE **LA PORTE DES NEUF DÉMONS** ONT ORDRE DE SE RASSEMBLER !

SEIGNEUR SILVER, CHASSEUR DE DÉMONS DES GLACES, JE VOUS PRIE D'OBÉIR AUX ORDRES !

N'AIE PAS PEUR...
TSAP
JE NE VAIS PAS TE MANGER...

JE NE MANGE QUE DES ÂMES DE DÉMONS !
ABSOLUTE ZERØ
SILVER, LE ZÉRO ABSOLU
TARTAROS, LA PORTE DES NEUF DÉMONS
À SUIVRE

POSTFACE

J'ai toujours aimé écrire des textes. Je laisse de côté la question de leur qualité littéraire. D'une certaine façon, les dialogues des mangas ou les rubriques comme les questions des lecteurs sont bien des textes. Je pense que c'est pour ça que j'ai commencé à écrire des postfaces.

Ces temps-ci, j'ai de plus en plus d'occasions de parler de mon quotidien, avec les coins "mot de l'auteur" du magazine de prépublication, ou bien sur Twitter, où j'écris plein de petits trucs débiles tous les jours. Et en temps réel, en plus.

Du coup, j'ai de moins en moins de choses à écrire dans les postfaces. Que faire ? Au départ, dans ce volume 41, je voulais montrer qu'Erza était super forte, même sous la forme d'une gamine. Mais du coup, ça risquait de rabaisser encore plus Minerva.

Alors le concept a changé, c'est devenu "même petite, Erza va de l'avant, et donne des leçons !". Ensuite, comme Grey n'a pas été très actif pendant le Grand Tournoi de la magie, j'ai voulu le mettre en avant et je lui ai donné un rôle de premier plan dans cette histoire.

J'ai bien l'intention de le mettre encore en valeur dans les épisodes suivants !

L'arc qui commence dans le prochain tome comptera beaucoup de personnages. J'avais déjà dit la même chose pour le Grand Tournoi de la magie (transpire). L'arc précédent était un recueil de persos, et le prochain sera comme un recueil de techniques.

Je mettrai à profit toutes les techniques de mangaka que j'ai mises au point au cours des quinze dernières années pour en faire une histoire passionnante ! À bientôt !

FAIRY TAIL VS L'ALLIANCE DE BARAM

LES LIENS DU DESTIN

L'ALLIANCE DE BARAM, C'EST :

LE PLUS GRAND GROUPEMENT DE GUILDES CLANDESTINES, RASSEMBLANT ORACION SEIS, GRIMOIRE HEART ET TARTAROS. CHACUNE D'ELLES SUPERVISE PLUSIEURS AUTRES GUILDES.

ORACION SEIS

LE MAÎTRE DE CETTE GUILDE EST ZERO. ILS RECHERCHAIENT NIRVANA, LE SORT D'INVERSION ULTIME, POUR DÉTRUIRE L'ORDRE DU MONDE, MAIS ILS EN ONT ÉTÉ EMPÊCHÉS PAR L'ASSOCIATION DE FAIRY TAIL, BLUE PEGASUS, LAMIA SCALE ET CAIT SHELTER. COBRA, L'UN DES MEMBRES, EST UN CHASSEUR DE DRAGONS VENIMEUX (C'EST UN CHASSEUR DE DRAGONS DE DEUXIÈME GÉNÉRATION).

GRIMOIRE HEART
LE MAÎTRE DE CETTE GUILDE EST HADES. ILS VOULAIENT CRÉER UN EMPIRE DE LA MAGIE EN UTILISANT ZELEPH. ILS ONT ENVAHI L'ÎLE DE TENRÔ OÙ IL ÉTAIT APPARU MAIS ONT ÉTÉ VAINCUS QUAND FAIRY TAIL A CONTRE-ATTAQUÉ. ULTIA ET MELDY FAISAIENT PARTIE DES SEPT FRÈRES DU PURGATOIRE, LES PILIERS DE LA GUILDE.
IWOOOOOOOOO
AMORÇONS...
NOTRE DESCENTE VERS CETTE ÎLE !
MAÎTRE HADES
GUILDE CLANDESTINE, GRIMOIRE HEART
LA PORTE DES ENFERS VA S'OUVRIR...
EN ATTENDANT, T'AVISE PAS DE MANIPULER MES SOUVENIRS !
QUE LE DÉMON CHÂTIE L'HUMANITÉ !
TARTAROS, LE DERNIER PILIER DE L'ALLIANCE DE BARAM, POINTE À L'HORIZON... UN DANGER SANS PRÉCÉDENT MENACE L'HUMANITÉ !

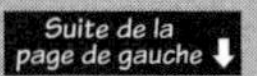

Lucy : Mirajane, tu recommences avec le charabia !

Mirajane : *Question suivante !*

C'est quoi, la langue bizarre qu'utilise Minerva ?

Lucy : *C'est vrai qu'on se le demande !*

 : ¡ RAAGD !

 : *Wah ! Qu'est-ce que tu as dit ?*

 : *Disparais !*

Lucy : *C'est pas sympa !*

Mirajane : C'est du Yakuma.

Lucy : *Du... Yaku... ma ?*

Mirajane : Avant, il y avait un peuple appelé les Yakuma, c'est leur langue.

Lucy : Ça a à voir avec le sort Yakuma, la magie des 18 dieux combattants qui a surpris le premier maître ?

Mirajane : Les Yakuma appelaient "magie des 18 dieux combattants" leurs 18 sorts traditionnels les plus dangereux. L'un d'entre eux est...

 : Yag... do... lig... ora... ? C'est difficile à prononcer...

Mirajane : YAGDO LIGORA !

Lucy : Bravo, Mirajane !

Mirajane : Bien sûr, je ne peux pas utiliser ce sort. En fait, c'était même la première fois que je voyais quelqu'un le lancer !

Lucy : Même le premier maître était étonné !

Mirajane : Mwoi ausswi, jw'étwais étwonnwée !

 : Bon, c'est quoi, ce charabia ?

 : Et si tu essayais aussi pour voir ?

Lucy : Hein ?

Mirajane : Ça t'amusera peut-être...

Lucy : Bon... euh... hahum... Jwe-mwappwelle-Lwuçwy.

Mirajane : *C'est dur à lire !*

Quelque part à Magnoria.

Mirajane : Bwonjwour. Jwe mw'appwelle Mwirwajwanwe !

Lucy : ...

Mirajane : Prwemwièrwe qwestwion !

Lucy : C'est quoi, ce charabia ?

: Ça m'a pris comme ça. Mais j'en ai déjà marre. On y va ?

: Euh... oui...

Mirajane : Première question !

Est-ce que Worlod est humain ?

Lucy : Hi hi...

Mirajane : C'est impoli de rire ! Hi hi hi...

Lucy : Il y a bien d'autres gens bizarres dans notre monde, mais lui, je crois qu'il est humain...

Mirajane : Oui, c'est sans doute un humain !

Lucy : Question suivante !

J'aimerais connaître le nom du démon serviteur de Zeleph...

Mirajane : Il s'appelle Ohbra.

Lucy : C'est pas le nom du type de Raven Tail ?

: Si. Ce type est une marionnette, le véritable Ohbra, c'est la petite bestiole.

: Heiiiiiin ?!

Mirajane : Maître Iwan l'a pris dans la guilde sans le savoir.

Lucy : C'est vrai qu'à un moment, ce type (qu'on croyait humain) a arrêté de bouger d'un seul coup.

Mirajane : Ne plus bouger d'un seul coup... cw'est twerrwible !

A suivre page de droite

FAIRY TAIL 42

EN VENTE DÈS JANVIER 2015 !

FAIRY TAIL SE RETROUVE FACE À UNE CRISE SANS PRÉCÉDENT !

L'ENFER DE TARTAROS, LA PORTE DES NEUF DÉMONS !

IL EST POSSIBLE QU'ILS POSSÈDENT UN PUISSANT DÉMON DU LIVRE DE ZELEPH.

QUI T'ES, TOI ?

NATSU DE FAIRY TAIL !

ON SE LA FAIT, CETTE CHASSE DES TÉNÈBRES ?

FÉES CONTRE DÉMONS L'HEURE DE L'AFFRONTEMENT A SONNÉ !

Titre original :
FAIRY TAIL, vol. 41

First published in Japan in 2013
by Kodansha Ltd., Tokyo.
Publication rights for this French edition
arranged through Kodansha Ltd., Tokyo.

Traduction et adaptation : Vincent Zouzoulkovsky
Création d'illustrations : Claire Bréhinier

Édition française
2014 Pika Édition
ISBN : 978-2-8116-1650-2
ISSN : 2100-2932
Dépôt légal : décembre 2014
Achevé d'imprimer en Italie
par L.E.G.O. S.p.A. Lavis TN en août 2016